SACRAMENTO PUBLIC LIBRARY
S0-BKP-889
06/2017

文　潘人木

1919年出生于辽宁省沈阳市，原名潘佛彬。作品曾获“中华文艺奖”。20世纪50年代在台湾与张秀亚、罗兰、孟瑶同列名气最响亮的女作家。1965年开始儿童文学创作，并以小说创作及儿童文学编写成就，获颁“五四文学贡献奖”。作品有《莲漪表妹》《马兰自传》《潘人木爱的小书图画故事》等。

图　曹俊彦

1941年生于台北大稻埕，台北师范艺术科毕业。曾任小学美术教师、广告公司美术设计、儿童读物美术编辑、信谊基金出版社总编辑、童馨园出版社与何嘉仁文教出版社顾问、小学课本编辑委员、信谊幼儿文学奖等奖项评审，以及《亲亲自然》杂志企划编辑顾问。插画、漫画及图画书作品散见各报纸杂志。近期致力于儿童绘本的推广，特别关心原创绘本的推介。

图书在版编目（CIP）数据

小红和小绿 / 潘人木文；曹俊彦图. —郑州：郑州大学出版社，2015.12
ISBN 978-7-5645-2596-5
Ⅰ. ①小… Ⅱ. ①潘… ②曹… Ⅲ. ①童话—中国—当代 Ⅳ. ①I287.7

中国版本图书馆CIP数据核字（2015）第252444号

小红和小绿
Xiaohong he Xiaolü
潘人木 文　　曹俊彦 图

郑州大学出版社出版发行
郑州市大学路40号　　邮政编码：450052
出版人：张功员　　发行电话：0371-66966070
责任编辑：徐　栩
特约编辑：瓜　瓜
封面设计：田　晗
全国新华书店经销
北京盛通印刷股份有限公司印制
开本：787mm×1092mm　1/16
印张：2.75
字数：5千字
版次：2015年12月第1版　　印次：2015年12月第1次印刷

书号：ISBN 978-7-5645-2596-5　　定价：32.80元

如有印装质量问题，请向印刷厂联系调换：010-67887676转866、816

很久很久以前，在东北的长白山下，有个名叫小红的小女孩。她和爸爸妈妈住在一间小屋里。

爸爸是个采人参的工头。长白山的人参，是世界上最名贵的药材，这里许多人都靠采参过活，只是人参长在深山里，并不容易采到。

小红的爸爸采参技术非常好，也特别有经验。每天一大早，他就离开家，和同伴们一起到山上去采参，晚上很晚才回来。有时候一去好多天，这里找，那里找，希望能发现最大、最好的人参。每次离家，他都要叮嘱小红:“你不要玩得离家太远哪！当心有虎有狼，会从山上跑下来咬你！也不要跟陌生人玩！这里的山太高，林木太茂盛，听说老虎恶狼年纪大了，会变成人形，来骗小孩子上当。你一定要听我的话！不要玩得离家太远。听见没有？”

“是，爸爸，我知道啦。”

小红正是贪玩的年龄，每天都出去玩。如果你是天上的飞鸟，就会看见一片浓绿的树海里，有一个小红点、一个小白点和一个小花点。那就是穿红衣服的小红，带着她的小白兔和小花鹿出来玩了。没走多远，小红就要回头喊一声“妈”，要是妈妈听见了，答应了一声“哎”，她就跟小鹿小兔说:“我们还可以再往前走。”走了一段路，小红又会喊一声“妈妈”，要是妈妈听不见，没答应一声“哎”，她就跟小鹿小兔说:“我们走得太远了，回家去吧！”

这就是小红唯一的游戏，因为没有别的孩子跟她玩，最近的邻居都在一二十里以外。

有一天，小红从梦中醒来。外面并没有风，是个晴朗的早晨，细听门外，有个孩子在唱歌，声音好听极了。她听得清清楚楚，那孩子唱的是:“一盆炭，两盆火，太阳出来晒晒我。”小红高兴极了，赶快穿好衣服往外跑，嘴里也唱:“太阳出来红似火，家家户户胭脂抹，越抹越红，越红越抹。”她四下张望着，果然看见不远的地方，有个小男孩，穿着一身绿色的衣服，比树叶、嫩草还绿，式样也很讲究，袖子和下摆都垂着飘动的流苏，头上戴着一顶小帽子，上面有一个鲜红的帽结儿。

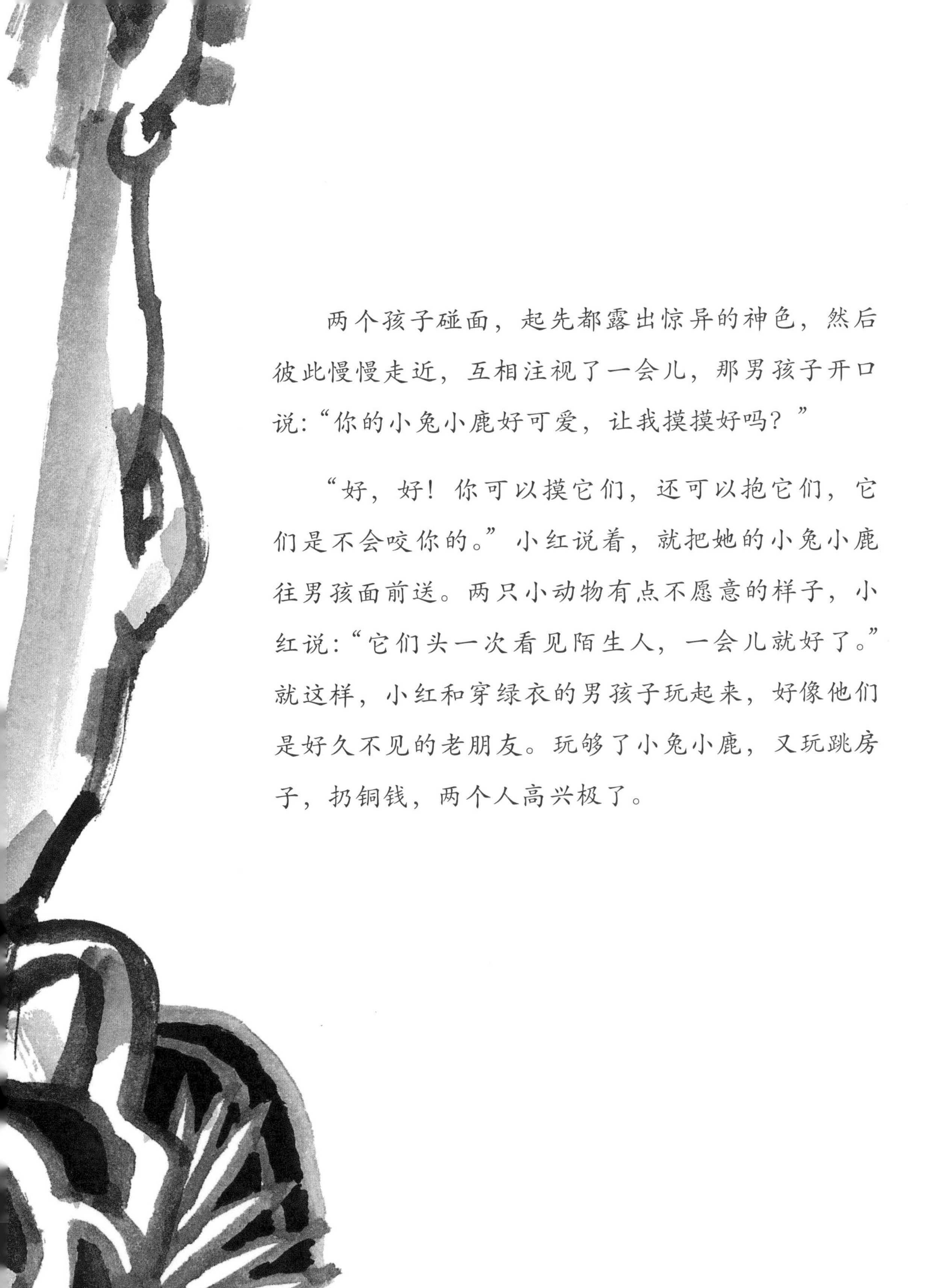

两个孩子碰面，起先都露出惊异的神色，然后彼此慢慢走近，互相注视了一会儿，那男孩子开口说：“你的小兔小鹿好可爱，让我摸摸好吗？”

“好，好！你可以摸它们，还可以抱它们，它们是不会咬你的。”小红说着，就把她的小兔小鹿往男孩面前送。两只小动物有点不愿意的样子，小红说：“它们头一次看见陌生人，一会儿就好了。”就这样，小红和穿绿衣的男孩子玩起来，好像他们是好久不见的老朋友。玩够了小兔小鹿，又玩跳房子，扔铜钱，两个人高兴极了。

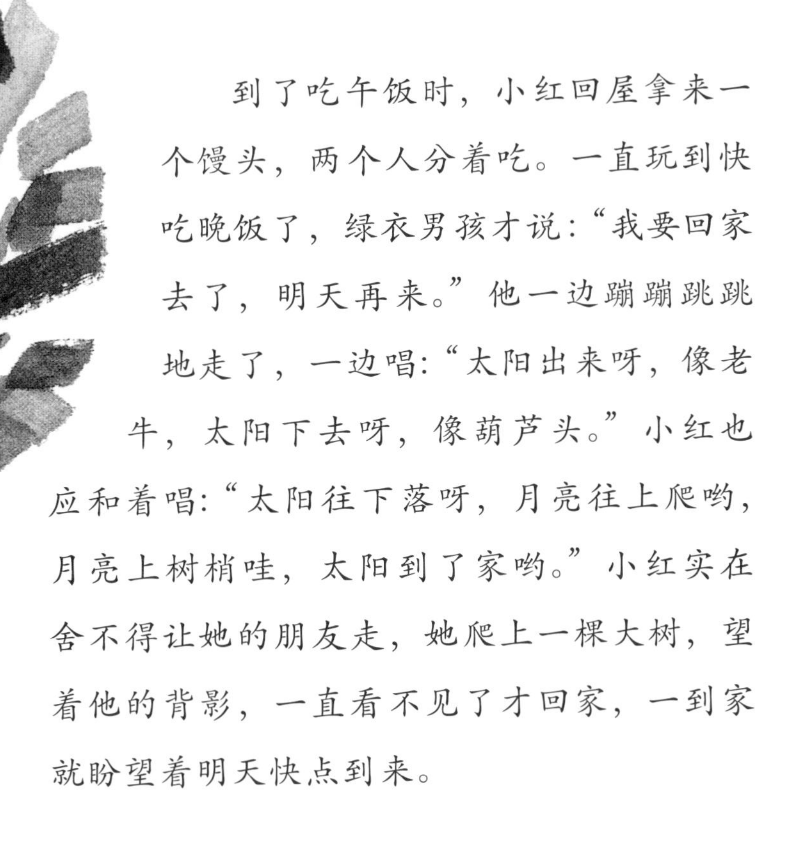

到了吃午饭时，小红回屋拿来一个馒头，两个人分着吃。一直玩到快吃晚饭了，绿衣男孩才说：“我要回家去了，明天再来。”他一边蹦蹦跳跳地走了，一边唱：“太阳出来呀，像老牛，太阳下去呀，像葫芦头。”小红也应和着唱：“太阳往下落呀，月亮往上爬哟，月亮上树梢哇，太阳到了家哟。”小红实在舍不得让她的朋友走，她爬上一棵大树，望着他的背影，一直看不见了才回家，一到家就盼望着明天快点到来。

那天回去，小红做事显得十分着急，她急着喂小兔小鹿，急着抱柴火，急着做晚饭，急着问妈妈明天会不会是好天气。妈妈和面的时候，她又急着恳求:“妈，今天多做一个馒头可以吗？只多做一个小的就好，我吃一个馒头，还是觉得有点不饱。”妈妈说:“好，大概你贪长个儿了。”小红一边帮忙做饭，一边唱:“馒头四个，不要弄破，又松又软，吃了不饿……”晚上，小红很早就睡了，她心想，等我一睁开眼睛就是明天，啊！明天！实在太好了。

第二天，小红还没完全睡醒，那男孩的歌声就传进了耳朵:“一盆炭，两盆火，太阳出来晒晒我。”小红赶快翻身起床，往外边跑边唱:“太阳出来红似火，家家户户胭脂抹，越抹越红，越红越抹。”两人又快乐地一块儿玩，一块儿笑。到了中午，小红回家拿来两个小馒头，不是一人一个，而是每个馒头两个人都分着吃。那绿衣男孩，也从口袋里掏出他带来的有甜味的草和红色的浆果，这些东西小红从来就没看见过，但是那有什么关系，好吃就行了！每样东西都是两人分着吃。第三天也是这样，第四天也是这样。

他俩把小鹿当作棕色的马，把小兔当作白色的马，折下树枝来当马鞭子，两人边跑边唱：“骑白马，跨腰刀，腰刀长，宰猪羊……”他们又拉着手，在倒了的枯树上走，一边走，一边唱：“走呀，走呀，走金桥呀；桥底下呀，裂瓜瓢呀；裂什么裂呀，猪八戒呀；猪什么猪呀，耗子窟呀；耗什么耗呀，儿马叫呀；儿什么儿呀，张家的匙儿呀；张什么张呀，五杆枪呀；五什么五呀，牛羊肚呀……”

什么都玩过了，“咱们还要玩什么呢？”他们互相问。绿衣男孩忽然想出了一个新花样：“我们来玩种花儿，好不好？”

“种什么花？”

“这里好多野花，我们看哪一棵好看，就拿来种。”

他俩兴高采烈地采种子，挖土，浇水。两个人都蹲着，小红一不小心，把男孩衣服下摆的流苏也埋在土里好几根，弄得他站起来的时候，差点跌一跤。

那男孩忽然说:“要是种谁的衣服就能长成一个谁，像花草似的，那该多有意思！”

两个人说着，真的种起衣服来了。男孩把衣服上的流苏扯下几根，小红把头绳弄下一段，埋在土里，又浇水，又培土，忙了半天，快乐得不得了。

两人一起玩了好几个月，绿衣男孩来得一天比一天早，走得一天比一天晚，他们彼此都舍不得离开对方。

有一天，小红回家太晚了，妈妈担心地问:

“你到底上哪儿去玩了？连叫我都不叫了。”

“我们就在咱家附近玩，没有危险的。”

“你们？你跟谁呀？”

“跟——跟——小绿。”

“小绿？谁是小绿？”妈妈惊奇地问。

“我也不知道他叫什么，是个穿绿衣服的小男孩，我就叫他小绿，你没看见他吗？”妈妈皱着眉歪着头思索着说：“没看见过这么一个小孩子啊！我总是看见你一个人在玩，别骗妈妈了。”

“真的有，我没骗你。妈，多做的馒头就是给他吃的，每天早晨他都在门外唱歌。明天早上，你要留心听，就会听见的。”

妈妈心里很纳闷，怎么会有个穿绿衣服的小男孩天天来唱歌，天天来跟小红玩，她竟没有看见呢？这个男孩子又是谁家的呢？

到了晚上，妈妈悄悄地把这件事告诉了爸爸。爸爸也很惊讶，附近十里以内，只有几个单身采参人，绝对没什么小孩儿。

“啊！对了。”

他心想，难道这个绿衣小孩儿是一只狼或是一只虎变的，要害小红？他虽是这么想，却没说出来，怕小红和妈妈害怕。他想好了一个主意，跟妈妈说:“你去找一个粗线团来，越长越好，再找一根针，把线穿好，明天交给小红，等那绿衣孩子临走的时候，叫小红把这根穿了长线的针，偷偷地别在他衣服上。一定要这么做！”

第二天，小红和绿衣男孩又玩了一天，可玩的时候，却没有以前那么开心了，因为她一直想着妈妈交代的话，觉得对这样一个好朋友，要偷偷做这样一件事，实在“没有良心”。可是，她又一定要听妈妈的话。分别的时候，趁绿衣男孩不注意，小红把针别在他后面的衣襟上了。

第二天天还没亮，爸爸就匆匆忙忙起身，除了平日挖参的工具，还带了随身武器，顺着那条长线，追寻下去。

他带着大伙儿越过陡坡，经过山谷，穿过了桦树林和榛树丛，到了一片苍翠的松林边，这个地方他以前没来过。抬头一望，这儿山色特别清新秀美，仿佛有绿色的云缭绕着，又看看脚下的草色和土质，判断附近可能有人参，心里很高兴。不过他想，还是得先把那狼精或虎精找到打死，免得它下山为害。

他们继续顺着线往前走，终于停在一处向阳的山腰。那儿没有森林，没有洞穴，没有岩石，一点儿都不像虎狼野兽居住的地方。最令人惊奇的是，那条线的线头竟被拉到地下去了。再仔细一看，就在那儿，立着一棵老山参，有三四尺高，生着绿油油的叶子，每片叶子都像个小手掌。老山参的顶头，已经打了红色的籽，好像一粒红玛瑙，看来它最少也有一千年了。小红的爸爸这才恍然大悟，原来和女儿天天玩的绿衣孩子，就是这棵千年的宝贝！

小红的爸爸采到宝贝，卖了很多很多钱，和大伙一起分了，自己的那份用来修修房子，买些吃的穿的，带着小红和她妈妈到城里去游玩，还把剩的钱存在钱庄，留给小红做嫁妆。虽然他还要天天上山工作，日子却比以前好过多了。老两口儿更加宠爱小红，说她给家里带来了幸运。

小红的爸爸快乐，妈妈快乐，只有小红一点儿都不快乐，因为她再也看不见那穿绿衣的孩子，再也听不见“一盆炭，两盆火，太阳出来晒晒我”的歌声，再也没有人跟她分享她的馒头，给她带山果吃，跟她玩游戏了。

小红不再唱歌了，她总是回忆着和绿衣男孩共度的快乐时光，想着跟他一起玩的每一个游戏，走遍和他走过的每一条小径，甚至还去看了他们玩“种衣服”的地方。她想把那几条绿衣上的流苏挖出来，留作纪念。可怎么也想不到，只是几天的工夫，那儿已经长出了小小的人参苗。小红乐得不得了，她深信这棵小人参苗会慢慢长大，抽出有五个缺口的巴掌形叶子，秋天开白色的小花。她决心好好照顾它，不管多少年，绝不离开它。

她相信总有一天，小人参长大了，那绿衣男孩又会出现的。

当初那个九岁的小红，现在已经非常老了，她的头发比云还白，比雪还白，也许她有两百岁了，三百岁了。有人说她因为吃了绿衣孩子给她的果子，会长生不老。可这在她看来都不重要，她只希望有一天，早晨醒来，又听见“一盆炭，两盆火”的歌声，看见那可爱的绿衣男孩。要是再能看见他，不管怎么样，她都不会再别一根长长的线在他的衣服上了。

再现东方绝美经典传奇

文 / 曹俊彦

我是南方海岛出生的小孩，对会下雪、甚至可能整个月冰封的北国，一直充满好奇与想象。家父爱书，有一套《世界地理大系》最吸引我，虽然还看不懂里头的日文和汉字，可那些丰富的照片、图片和地图，已带着年幼的我神游北国。

1973 年，我担任儿童读物的美术编辑。有一天，来了一位脸色红润、步履稳健、开朗风趣的老先生，听说已八十高龄。听他和总编辑潘人木女士谈话，才知道他们两位都是东北人，一位来自沈阳，一位来自长春，就是我幼年憧憬的北国。他们聊起北大荒的开垦故事、北国的童年趣事和东北地方的民间传说，都引起我极大的兴趣。

那是我第一次听到人参精幻化成人，至山村里找小孩的故事。想想看，由一位满头白发的老者，述说着终年积雪、山头长白的山林里，神秘的妖精故事，那种氛围，自然的弥漫着浓浓的人参香味儿。

后来，再读这个故事，是经过总编辑的妙手，已经变身为童心与文学味十足、仍然神秘的童话故事了，字里行间弥漫山林中小家庭亲子互动的温馨，并且在精彩的过场儿歌导引下，随着文字的节奏展现着儿童天真的想象。我注意到那个人参精化成人样的妖怪，已经被塑造成可爱、活泼，和一般小孩没两样，爱玩、需要交朋友的小男孩。在童话化的过程中，还有不少图像的设计，比如带有流苏装饰的衣服，以及给帽子配上红色小球的帽缨，为这个小男孩造型定装。看过这样的文本，我不自觉的手痒起来，因为一幅一幅的画面已经在心中浮现。

这个由民间传说改写的童话故事，当初是以小学三四年级的学童为阅读对象，所以特别注意到成书时每一个对开面（双页）都要有连续，但不相同的画面，就像图画书的要求一般，以增加孩子的阅读兴趣。总编辑将分页完成的文稿交给我时，因为外面几位绘图高手都已有紧锣密鼓的工作在身，所以指定我，自己动手画，一方面控制进度，希望能如期出版，一方面在作画时对东北地方不熟的事、物，可以就近讨论。出乎总编辑的意料，我很快完成这本书的图画，因为文中本来就很有画意，加上小时候看过的那些图画、照片，印象深刻。

《小红和小绿》于 1974 年 2 月出版，收录在《中华儿童丛书》中，这套丛书是台湾地区第一套彩色印刷的儿童读物，也是台湾首度大量出版的本土图画书，直到 2002 年裁撤编辑小组，这套书从此走入历史。这套书曾经是台湾孩子们共同的回忆，现在由小鲁文化特别选出《小红和小绿》重新出版，随后，青豆书坊策划出版了中文简体版，让这个东方经典传奇能够继续传承下去。